ON THE MOTION
AND IMMOBILITY OF DOUVE

ON THE MOTION AND

Ohio University Press) Athens, Ohio

IMMOBILITY OF DOUVE

YVES BONNEFOY

Translated by *GALWAY KINNELL*

But the life of the spirit
is not frightened at death
and does not keep itself pure
of it. It endures death
and maintains itself in it.

—HEGEL

Mais la vie de l'esprit ne s'effraie
point devant la mort et n'est pas celle
qui s'en garde pure. Elle est la vie qui
la supporte et se maintient en elle.
Hegel.

CONTENTS

CONTENTS

THEATER

VRAI LIEU

TRUE PLACE

THEATER

THÉATRE

I)

Je te voyais courir sur des terrasses,
Je te voyais lutter contre le vent,
Le froid saignait sur tes lèvres.

Et je t'ai vue te rompre et jouir d'être morte ô plus belle
Que la foudre, quand elle tache les vitres blanches de ton sang.

I)

I saw you running on the terraces,
I saw you fight against the wind,
The coldness bled on your lips.

And I have seen you break and rejoice at being dead—O more
  beautiful
Than the lightning, when it stains the white windowpanes of your
  blood.

II)

L'été vieillissant te gerçait d'un plaisir monotone, nous méprisions l'ivresse imparfaite de vivre.

«Plutôt le lierre, disais-tu, l'attachement du lierre aux pierres de sa nuit: présence sans issue, visage sans racine.

«Dernière vitre heureuse que l'ongle solaire déchire, plutôt dans la montagne ce village où mourir.

«Plutôt ce vent . . .»

II)

The dying summer had chapped you with listless pleasure, we felt only scorn for the marred joys of living.

"Rather ivy," you would say, "the way it clings to the stones of its night: presence without exit, face without roots.

"Last radiant windowpane ripped by the sun's claw, rather in the mountains this village to die in.

"Rather this wind . . ."

III)

Il s'agissait d'un vent plus fort que nos mémoires,
Stupeur des robes et cri des rocs—et tu passais devant ces flammes
La tête quadrillée les mains fendues et toute
En quête de la mort sur les tambours exultants de tes gestes.

C'était jour de tes seins
Et tu régnais enfin absente de ma tête.

III)

It was a wind stronger than our memories,
Stupor of clothing and cry of rocks—and you moved in front of
    those flames,
Head graphlined, hands split open, all
Bent on death on the exulting drums of your gestures.

It was day of your breasts:
And you reigned at last absent from my head.

IV)

Je me réveille, il pleut. Le vent te pénètre, Douve, lande rési-
neuse endormie près de moi. Je suis sur une terrasse, dans un trou
de la mort. De grands chiens de feuillages tremblent.

Le bras que tu soulèves, soudain, sur une porte, m'illumine à
travers les âges. Village de braise, à chaque instant je te vois naître,
Douve,

A chaque instant mourir.

IV)

I awaken, it is raining. The wind pierces you, Douve, resinous heath sleeping near me. I am on a terrace, in a pit of death. Great dogs of leaves tremble.

The arm you lift, suddenly, at a doorway, lights me across the ages. Village of embers, each instant I see you being born, Douve,

Each instant dying.

V)

Le bras que l'on soulève et le bras que l'on tourne
Ne sont d'un même instant que pour nos lourdes têtes,
Mais rejetés ces draps de verdure et de boue
Il ne reste qu'un feu du royaume de mort.

La jambe démeublée où le grand vent pénètre
Poussant devant lui des têtes de pluie
Ne vous éclairera qu'au seuil de ce royaume,
Gestes de Douve, gestes déjà plus lents, gestes noirs.

V)

The arm lifted and the arm turned
Are simultaneous only for our dull wits,
But these sheets of greenness and mud thrown back,
What is left is a fire in death's kingdom.

The dismantled leg which the high wind pierces
Driving heads of rain before it
Will only light you to the threshold of that kingdom,
Douve's hands, hands already slower, dark hands.

V I)

Quelle pâleur te frappe, rivière souterraine, quelle artère en toi se rompt, où l'écho retentit de ta chute?

Ce bras que tu soulèves soudain s'ouvre, s'enflamme. Ton visage recule. Quelle brume croissante m'arrache ton regard? Lente falaise d'ombre, frontière de la mort.

Des bras muets t'accueillent, arbres d'une autre rive.

V I)

What paleness comes over you, underground river, what artery breaks in you, where your fall echoes?

This arm you lift suddenly opens, catches fire. Your face draws back. What thickening mist wrenches your eye from mine? Slow cliffs of shadow, frontier of death.

Mute arms reach for you, trees of another shore.

VII)

Blessée confuse dans les feuilles,
Mais prise par le sang de pistes qui se perdent,
Complice encor du vivre.

Je t'ai vue ensablée au terme de ta lutte
Hésiter aux confins du silence et de l'eau,
Et la bouche souillée des dernières étoiles
Rompre d'un cri l'horreur de veiller dans ta nuit.

O dressant dans l'air dur soudain comme une roche
Un beau geste de houille.

VII)

Wounded, lost among the leaves,
But gripped by the blood of vanishing paths,
Accomplice yet of life.

I have seen you, sunk down at struggle's end,
Falter at the edge of silence and water,
And mouth sullied by the last stars
Break with a cry the horrible nightwatch.

O raising into the air suddenly hard as rock
A bright gesture of coal.

VIII)

La musique saugrenue commence dans les mains, dans les genoux, puis c'est la tête qui craque, la musique s'affirme sous les lèvres, sa certitude pénètre le versant souterrain du visage.

A présent se disloquent les menuiseries faciales. A présent l'on procède à l'arrachement de la vue.

VIII)

The weird music starts in the hands, in the knees, then it is the head that cracks, the music declares itself under the lips, it surges across the underslope of the face.

Now the woodwork of the face comes apart. Now begins the tearing out of the sight.

I X)

Blanche sous un plafond d'insectes, mal éclairée, de profil
Et ta robe tachée du venin des lampes,
Je te découvre étendue,
Ta bouche plus haute qu'un fleuve se brisant au loin sur la terre.

Être défait que l'être invincible rassemble,
Présence ressaisie dans la torche du froid,
O guetteuse toujours je te découvre morte
Douve disant Phénix je veille dans ce froid.

IX)

White under a ceiling of insects, poorly lit, in profile,
Your dress stained by the venom of lamps,
I find you stretched out,
Your mouth higher than a river breaking far away on the earth.

Broken being the unconquerable being reassembles,
Presence seized again in the torch of cold,
O watcher always I find you dead,
Douve saying Phoenix I wake in this cold.

X)

Je vois Douve étendue. Au plus haut de l'espace charnel je l'entends bruire. Les princes-noirs hâtent leurs mandibules à travers cet espace où les mains de Douve se développent, os défaits de leur chair se muant en toile grise que l'araignée massive éclaire.

X)

I see Douve stretched out. On the highest level of fleshly space
I hear her rustling. Black-princes hurry their mandibles across that
space where Douve's hands unfold, unfleshed bones becoming a
gray web which the huge spider lights.

XI)

Couverte de l'humus silencieux du monde,
Parcourue des rayons d'une araignée vivante,
Déjà soumise au devenir du sable
Et tout écartelée secrète connaissance.

Parée pour une fête dans le vide
Et les dents découvertes comme pour l'amour,

Fontaine de ma mort présente insoutenable.

XI)

Covered by the world's silent humus,
Webbed through by a living spider's rays,
Already undergoing the life and death of sand
And splayed out secret knowledge.

Adorned for a festival in the void,
Teeth bared as if for love,

Fountain of my death living unbearable.

XII)

Je vois Douve étendue. Dans la ville écarlate de l'air, où combattent les branches sur son visage, où des racines trouvent leur chemin dans son corps—elle rayonne une joie stridente d'insectes, une musique affreuse.

Au pas noir de la terre, Douve ravagée, exultante, rejoint la lampe noueuse des plateaux.

XII)

I see Douve stretched out. In the scarlet city of air, where branches clash across her face, where roots find their way into her body—she radiates a strident insect joy, a frightful music.

With the black tread of earth, Douve, ravaged, exultant, returns to the highlands, this lamp.

XIII)

Ton visage ce soir éclairé par la terre
Mais je vois tes yeux se corrompre
Et le mot visage n'a plus de sens.

La mer intérieure éclairée d'aigles tournants,
Ceci est une image.
Je te détiens froide à une profondeur où les images ne prennent
plus.

XIII)

Your face tonight lighted by the earth,
But I see your eyes' corruption
And the word face makes no sense.

The inner sea lighted by turning eagles,
This is an image.
I hold you cold at a depth where images will not take.

XIV)

Je vois Douve étendue. Dans une pièce blanche, les yeux cernés de plâtre, bouche vertigineuse et les mains condamnées à l'herbe luxuriante qui l'envahit de toutes parts.

La porte s'ouvre. Un orchestre s'avance. Et des yeux à facettes, des thorax pelucheux, des têtes froides à becs, à mandibules, l'inondent.

XIV)

I see Douve stretched out. In a white room, eyes circled with plaster, mouth towering, hands condemned to the lush grass entering her from all sides.

The door opens. An orchestra surges forward. And faceted eyes, woolly thoraxes, cold heads beaked and pincered, flood over her.

X V)

O douée d'un profil où s'acharne la terre
Je te vois disparaître.

L'herbe nue sur tes lèvres et l'éclat du silex
Inventent ton dernier sourire,

Science profonde où se calcine
Le vieux bestiaire cérébral.

X V)

O gifted with a profile where earth rages,
I see you disappear.

On your lips bare grass and flintsparks
Invent your last smile,

Deep knowledge which burns to ashes
The old bestiary of the mind.

XVI)

Demeure d'un feu sombre où convergent nos pentes! Sous ses voûtes je te vois luire, Douve immobile, prise dans le filet vertical de la mort.

Douve géniale, renversée: au pas des soleils dans l'espace funèbre, elle accède lentement aux étages inférieurs.

XVI)

Home of a dark fire where our slopes converge! Under its vaults I see you glimmer, Douve, motionless, caught in the vertical net of death.

Immaterial Douve, overturned: with the march of suns through funeral space, she reaches slowly the lower levels.

XVII)

Le ravin pénètre dans la bouche maintenant,
Les cinq doigts se dispersent en hasards de forêt maintenant,
La tête première coule entre les herbes maintenant,
La gorge se farde de neige et de loups maintenant,
Les yeux ventent sur quels passagers de la mort et c'est nous dans
    ce vent dans cette eau dans ce froid maintenant.

XVII)

The ravine enters the mouth now,
The five fingers scatter in the forest now,
The primal head flows out among the grasses now,
The throat paints itself with snow and wolves now,
The eyes blow on which of death's passengers and it is we in this
    wind in this water in this cold now.

XVIII)

Présence exacte qu'aucune flamme désormais ne saurait restreindre; convoyeuse du froid secret; vivante, de ce sang qui renaît et s'accroît où se déchire le poème,

Il fallait qu'ainsi tu parusses aux limites sourdes, et d'un site funèbre où ta lumière empire, que tu subisses l'épreuve.

O plus belle et la mort infuse dans ton rire! J'ose à présent te rencontrer, je soutiens l'éclat de tes gestes.

XVIII)

Exact presence whom no flame can ever again hold back; attendant of the secret cold; living, by that blood which springs and flourishes there where the poem is torn,

It was necessary for you to appear, thus, at the numb limits, to undergo this ordeal, this death-land where your light increases.

O more beautiful, with death-steeped laughter! Now I dare meet you, now I can face your gestures' flashing.

XIX)

Au premier jour du froid notre tête s'évade
Comme un prisonnier fuit dans l'ozone majeur,
Mais Douve d'un instant cette flèche retombe
Et brise sur le sol les palmes de sa tête.

Ainsi avions-nous cru réincarner nos gestes,
Mais la tête niée nous buvons une eau froide,
Et des liasses de mort pavoisent ton sourire,
Ouverture tentée dans l'épaisseur du monde.

XIX)

On the first day of cold the head escapes
As a prisoner flees into rarest air,
But Douve for an instant that arrow falls
And breaks its crown of palms on the ground.

So we had dreamed of incarnate gestures
But with mind cancelled we drink a cold water,
And death's banners flutter at your smile,
Attempted rift in the thickness of the world.

LAST ACTS

DERNIERS GESTES

Vous qui vous êtes effacés sur son passage,
Qui avez refermé sur elle vos chemins,
Impassibles garants que Douve même morte
Sera lumière encore n'étant rien.

Vous fibreuse matière et densité,
Arbres, proches de moi quand elle s'est jetée
Dans la barque des morts et la bouche serrée
Sur l'obole de faim, de froid et de silence.

J'entends à travers vous quel dialogue elle tente
Avec les chiens, avec l'informe nautonier,
Et je vous appartiens par son cheminement
A travers tant de nuit et malgré tout ce fleuve.

Le tonnerre profond qui roule sur vos branches,
Les fêtes qu'il enflamme au sommet de l'été
Signifient qu'elle lie sa fortune à la mienne
Dans la médiation de votre austérité.

You who stepped aside as she passed,
Who closed over your pathways behind her,
Stolid bondsmen for Douve: that even dead
She will again be light, being nothing.

You fibrous matter and density,
Trees, close to me when she leapt
Into the boat of the dead, mouth shut tight
On the obolus of hunger, of silence, of cold.

Through you I hear the dialogue she tries
With the dogs, with the misshapen oarsman,
And I become part of you as she travels
Through so much night in spite of all this river.

The deep thunder rolling on your branches,
The festivals it ignites at the peak of summer
Mean that she binds her destiny to mine
Through the mediation of your austerity.

Que saisir sinon qui s'échappe,
Que voir sinon qui s'obscurcit,
Que désirer sinon qui meurt,
Sinon qui parle et se déchire?

Parole proche de moi
Que chercher sinon ton silence,
Quelle lueur sinon profonde
Ta conscience ensevelie,

Parole jetée matérielle
Sur l'origine et la nuit?

What shall I seize but what escapes,
What shall I see but what fades,
What shall I desire but what dies,
But what speaks and tears itself?

Speech close to me,
What shall I see but your silence,
What gleam but deep down
Your buried consciousness,

Speech material span
Over origin and night?

Le Seul Témoin

I)

Ayant livré sa tête aux basses flammes
De la mer, ayant perdu ses mains
Dans son anxieuse profondeur, ayant jeté
Aux matières de l'eau sa chevelure;
Étant morte, puisque mourir est ce chemin
De verticalité sous la lumière,
Et ivre encore étant morte: ô je fus,
Ménade consumée, dure joie mais perfide,
Le seul témoin, la seule bête prise
Dans ces rets de ta mort que furent sables
Ou rochers ou chaleur, ton signe disais-tu.

I)

Having given her head to the low flames
Of the sea, having lost her hands
In its restless depths, having thrown
Her hair to the elements of water;
Being dead, since dying is this road
Of verticality under the light,
And drunken, still, in death: I was,
O Maenad in ashes, hard but perfidious joy,
The sole witness, the only beast caught
In those nets of your death which were sand
Or rocks or heat, your sign you used to say.

II)

Elle fuit vers les saules; le sourire
Des arbres l'enveloppe, simulant
La joie simple d'un jeu. Mais la lumière
Est sombre sur ses mains de suppliante,
Et le feu vient laver sa face, emplir sa bouche
Et rejeter son corps dans le gouffre des saules.

O t'abîmant du flanc de la table osirienne
Dans les eaux de la mort!
Une dernière fois de tes seins
Éclairant les convives.
Mais répandant le jour de ta tête glacée
Sur la stérilité des sites infernaux.

II)

She runs toward the willows; the smile
Of the trees closes round her, feigning
The simple joy of some game. But the light
Is dark on her supplicating hands,
And fire comes to wash her face, fill her mouth,
Throw back her body deep among the willows.

O plunging from the side of the Osirian feast
Into the waters of death!
A last time with your breasts
Lighting the partakers.
But shedding the light of your frozen head
On the sterility of the hellish shores.

III)

Le peu d'espace entre l'arbre et le seuil
Suffit pour que tu t'élances encore et que tu meures
Et que je croie revivre à la lumière
D'ombrages que tu fus.

Et que j'oublie
Ton visage criant sur chaque mur,
O Ménade peut-être réconciliée
Avec tant d'ombre heureuse sur la pierre.

III)

The gap between the tree and the threshold
Is enough for you to rush out again and to die
And for me to think I live again in the light
Of the shadows you used to be.

And for me to forget
Your face shouting on every wall,
O Maenad reconciled perhaps
With so much shadow happy on the stone.

I V)

Es-tu vraiment morte ou joues-tu
Encore à simuler la pâleur et le sang,
O toi passionnément au sommeil qui te livres
Comme on ne sait que mourir?

Es-tu vraiment morte ou joues-tu
Encore en tout miroir
A perdre ton reflet, ta chaleur et ton sang
Dans l'obscurcissement d'un visage immobile?

IV)

Are you really dead or do you still play
At imitating that paleness and that blood,
You, oh passionately giving yourself to sleep
In the way only used for dying?

Are you really dead or do you still play
In every mirror
At losing your reflection, your warmth, your blood,
In the darkening of a motionless face?

V)

Où maintenant est le cerf qui témoigna
Sous ces arbres de justice,
Qu'une route de sang par elle fut ouverte,
Un silence nouveau par elle inventé.

Portant sa robe comme lac de sable, comme froid,
Comme cerf pourchassé aux lisières,
Qu'elle mourut, portant sa robe la plus belle,
Et d'une terre vipérine revenue?

V)

Where now is the stag who testified
Under these trees of justice
That she opened a roadway of blood,
That she invented a new silence.

That in her dress as if some lake of sand, or cold,
Or stag hunted into the fringes,
She died, in her most beautiful dress,
Returned from a poisonous land?

VI)

Sur un fangeux hiver, Douve, j'étendais
Ta face lumineuse et basse de forêt.
Tout se défait, pensai-je, tout s'éloigne.

Je te revis violente et riant sans retour,
De tes cheveux au soir d'opulentes saisons
Dissimuler l'éclat d'un visage livide.

Je te revis furtive. En lisière des arbres
Paraître comme un feu quand l'automne resserre
Tout le bruit de l'orage au cœur des frondaisons.

O plus noire et déserte! Enfin je te vis morte,
Inapaisable éclair que le néant supporte,
Vitre sitôt éteinte, et d'obscure maison.

V I)

Over a muddy winter, Douve, I spread out
Your face, luminous and low, like a forest.
Everything dies, I thought, everything vanishes.

I saw you, violent, helplessly laughing,
At the fall of opulent seasons, hiding
With your hair the glare of a livid face.

And I saw you furtive. At the trees' edge
Appearing like a fire when the autumn draws
The whole noise of the storm to the heart of leaves.

O blackest and most barren! At last I saw you dead,
Unappeasable lightning-bolt strung out on the void,
Window now put out, and of a dark house.

Je nommerai désert ce château que tu fus,
Nuit cette voix, absence ton visage,
Et quand tu tomberas dans la terre stérile
Je nommerai néant l'éclair qui t'a porté.

Mourir est un pays que tu aimais. Je viens
Mais éternellement par tes sombres chemins.
Je détruis ton désir, ta forme, ta mémoire,
Je suis ton ennemi qui n'aura de pitié.

Je te nommerai guerre et je prendrai
Sur toi les libertés de la guerre et j'aurai
Dans mes mains ton visage obscur et traversé,
Dans mon cœur ce pays qu'illumine l'orage.

TRUE NAME

I will name wilderness the castle which you were,
Night your voice, absence your face,
And when you fall back into sterile earth
I will name nothingness the lightning which bore you.

Dying is a country which you loved. I approach
Along your dark ways, but eternally.
I destroy your desire, your form, your trace in me,
I am your enemy who shows no mercy.

I will name you war and I will take
With you the liberties of war, and I will have
In my hands your dark-crossed face,
In my heart this land which the storm lights.

La lumière profonde a besoin pour paraître
D'une terre rouée et craquante de nuit.
C'est d'un bois ténébreux que la flamme s'exalte.
Il faut à la parole même une matière,
Un inerte rivage au delà de tout chant.

Il te faudra franchir la mort pour que tu vives,
La plus pure présence est un sang répandu.

If it is to appear, the deep light needs
A ravaged soil cracking with night.
It is from the dark wood that the flame will leap.
Speech itself needs such substance,
A lifeless shore beyond all singing.

You will have to go through death to live,
The purest presence is blood which is shed.

Phénix

L'oiseau se portera au-devant de nos têtes,
Une épaule de sang pour lui se dressera.
Il fermera joyeux ses ailes sur le faîte
De cet arbre ton corps que tu lui offriras.

Il chantera longtemps s'éloignant dans les branches,
L'ombre viendra lever les bornes de son cri.
Refusant toute mort inscrite sur les branches
Il osera franchir les crêtes de la nuit.

PHOENIX

The bird will soar to meet our heads,
A shoulder of blood will be lifted for him.
He will fold his joyful wings on the peak
Of this tree your body you will offer him.

He will sing a long time fading into the branches,
Shadows will come on the boundaries of his cry.
Refusing any death hinted by the branches
He will dare to pass the summits of the night.

Cette pierre ouverte est-ce toi, ce logis dévasté,
Comment peut-on mourir?

J'ai apporté de la lumière, j'ai cherché,
Partout régnait le sang.
Et je criais et je pleurais de tout mon corps.

This opened stone is it you, this wrecked house,
How can one die?

I brought light, I looked,
Everywhere blood reigned.
And I cried, I wept with my whole body.

Vrai Corps

Close la bouche et lavé le visage,
Purifié le corps, enseveli
Ce destin éclairant dans la terre du verbe,
Et le mariage le plus bas s'est accompli.

Tue cette voix qui criait à ma face
Que nous étions hagards et séparés,
Murés ces yeux: et je tiens Douve morte
Dans l'âpreté de soi avec moi refermée.

Et si grand soit le froid qui monte de ton être,
Si brûlant soit le gel de notre intimité,
Douve, je parle en toi; et je t'enserre
Dans l'acte de connaître et de nommer.

TRUE BODY

The mouth shut tight, the face washed,
The body purified, that shining fate
Buried in the earth of words,
And the most basic marriage is accomplished.

Silenced that voice which shouted to my face
That we were stranded and apart,
Walled up those eyes: and I hold Douve dead
In the rasping self locked with me again.

And however great the coldness rising from you,
However searing the ice of our embrace,
Douve, I do speak in you; and I clasp you
In the act of knowing and of naming.

Art Poétique

Visage séparé de ses branches premières
Beauté toute d'alarme par ciel bas,

En quel âtre dresser le feu de ton visage
O Ménade saisie jetée la tête en bas?

Face cut off from its first branchings,
Beauty made of alarms under a low sky,

In what hearth shall I build the fire of your face
Maenad seized and thrown head first?

DOUVE SPEAKS

DOUVE PARLE

Quelle parole a surgi près de moi,
Quel cri se fait sur une bouche absente?
A peine si j'entends crier contre moi,
A peine si je sens ce souffle qui me nomme.

Pourtant ce cri sur moi vient de moi,
Je suis muré dans mon extravagance.
Quelle divine ou quelle étrange voix
Eût consenti d'habiter mon silence?

What word springs up beside me,
What cry is forming on an absent mouth?
I hardly hear this cry against me,
I hardly feel that breath saying my name.

And yet the cry comes from myself,
I am walled up in my extravagance,
What divine or what strange voice
Would have agreed to live in my silence?

Une Voix

Quelle maison veux-tu dresser pour moi,
Quelle écriture noire quand vient le feu?

J'ai reculé longtemps devant tes signes,
Tu m'as chassée de toute densité.

Mais voici que la nuit incessante me garde,
Par de sombres chevaux je me sauve de toi.

What house would you build for me,
What black writing when the fire comes?

I drew back from your signs a long time,
You hurled me from all densities.

But now endless night watches over me,
Through dark horses I flee from you.

Une Autre Voix

Secouant ta chevelure ou cendre de Phénix,
Quel geste tentes-tu quand tout s'arrête,

Et quand minuit dans l'être illumine les tables?

Quel signe gardes-tu sur tes lèvres noires,
Quelle pauvre parole quand tout se tait,

Dernier tison quand l'âtre hésite et se referme?

Je saurai vivre en toi, j'arracherai
En toi toute lumière,

Toute incarnation, tout récif, toute loi.

Et dans le vide où je te hausse j'ouvrirai
La route de la foudre,

Ou plus grand cri qu'être ait jamais tenté.

ANOTHER VOICE

Shaking your hair or Phoenix's ashes,
What motion do you make when everything stops,

And the inner midnight lights the tables?

What sign do you keep on your black lips,
What wretched word when everything hushes,

Last brand when the hearth flickers and closes?

I will know how to live in you, I will
Tear every light from you,

Every incarnation, every reef, every law.

And where I lift you in the emptiness I will
Open the road of lightning,

Or greatest cry a man ever attempted.

Si cette nuit est autre que la nuit,
Renais, lointaine voix bénéfique, réveille
L'argile la plus grave où le grain ait dormi.
Parle: je n'étais plus que terre désirante,
Voici les mots enfin de l'aube et de la pluie.
Mais parle que je sois la terre favorable,
Parle s'il est encor un jour enseveli.

If this night be other than the night,
Come back to life, distant beneficent voices, wake
The heaviest clay in which grain ever slept.
Speak: I was nothing but yearning earth,
Now come the words of dawn and rain at last.
But speak that I may be propitious earth,
Speak if somewhere lives a buried day.

I)

Quelquefois, disais-tu, errante à l'aube
Sur des chemins noircis,
Je partageais l'hypnose de la pierre,
J'étais aveugle comme elle.
Or est venu ce vent par quoi mes comédies
Se sont élucidées en l'acte de mourir.

Je désirais l'été,
Un furieux été pour assécher mes larmes,
Or est venu ce froid qui grandit dans mes membres,
Et je fus éveillée et je souffris.

I)

Sometimes, you used to say, wandering at dawn
On blackened paths,
I shared the stone's hypnosis,
I was blind like it.
Now that wind has come by which all my games
Are given away in the act of dying.

I longed for summer,
A furious summer to dry my tears,
Now has come this coldness which swells in my flesh
And I was awakened and I suffered.

II)

O fatale saison,
O terre la plus nue comme une lame!
Je désirais l'été,
Qui a rompu ce fer dans le vieux sang?

Vraiment je fus heureuse
A ce point de mourir.
Les yeux perdus, mes mains s'ouvrant à la souillure
D'une éternelle pluie.

Je criais, j'affrontais de ma face le vent . . .
Pourquoi haïr, pourquoi pleurer, j'étais vivante,
L'été profond, le jour me rassuraient.

II)

O fatal season,
O barest earth like a blade!
I longed for summer,
Who has broken off this sword in the old blood?

Truly I was happy
At this moment of dying.
Eyes lost, hands opening to the sullying
Of an eternal rain.

I cried out, I confronted the wind,
Why hate, why weep, I was alive,
The deep summer, the day reassured me.

III)

Que le verbe s'éteigne
Sur cette face de l'être où nous sommes exposés,
Sur cette aridité que traverse
Le seul vent de finitude.

Que celui qui brûlait debout
Comme une vigne,
Que l'extrême chanteur roule de la crête
Illuminant
L'immense matière indicible.

Que le verbe s'éteigne
Dans cette pièce basse où tu me rejoins,
Que l'âtre du cri se resserre
Sur nos mots rougeoyants.

Que le froid par ma mort se lève et prenne un sens.

III)

Let the word burn out
On this slope of being where we are stranded,
On this arid land
Which only the wind of our limits crosses.

Let him who burned standing up
Like a vine,
Let the wildest singer roll from the crest
Illuminating
Vast unutterable matter.

Let the word burn out
In this low room where you come to me,
Let the hearth of the cry close down
On our ember-words.

Let the cold by my death arise and take on meaning.

Demande au maître de la nuit quelle est cette nuit,
Demande: que veux-tu, ô maître disjoint?
Naufragé de ta nuit, oui je te cherche en elle,
Je vis de tes questions, je parle dans ton sang,
Je suis le maître de ta nuit, je veille en toi comme la nuit.

Ask the master of the night what is this night,
Ask: what do you want, O master in ruins?
Shipwrecked in your night, yes I seek you in it,
I live by your questions, I speak in your blood,
I am master of your night, I wake within you like night.

Une Voix

Souviens-toi de cette île où l'on bâtit le feu
De tout olivier vif au flanc des crêtes,
Et c'est pour que la nuit soit plus haute et qu'à l'aube
Il n'y ait plus de vent que de stérilité.
Tant de chemins noircis feront bien un royaume
Où rétablir l'orgueil que nous avons été,
Car rien ne peut grandir une éternelle force
Qu'une éternelle flamme et que tout soit défait.
Pour moi je rejoindrai cette terre cendreuse,
Je coucherai mon cœur sur son corps dévasté.
Ne suis-je pas ta vie aux profondes alarmes,
Qui n'a de monument que Phénix au bûcher?

A VOICE

Remember the island where they build the fire
Out of every olive-tree thriving on the slopes,
In order that night should arch higher and dawn
Find no wind but in sterility.
So many charred roads will make up a kingdom
Where the pride we once knew can reign once more,
For nothing can swell an eternal force
But an eternal flame and that all be undone.
For myself I will go back to that earth of ashes,
I will lay down my heart on its ravaged body.
Am I not your life in its deepest alarms,
Whose only monument is the Phoenix's pyre?

Demande pour tes yeux que les rompe la nuit,
Rien ne commencera qu'au delà de ce voile,
Demande ce plaisir que dispense la nuit
De crier sous le cercle bas d'aucune lune,
Demande pour ta voix que l'étouffe la nuit.

Demande enfin le froid, désire cette houille.

Ask for your eyes that the night tear them,
Nothing will begin but beyond this veil,
Ask for the pleasure which the night gives,
Of crying out in this sphere of no moon,
Ask for your voice that the night muffle it.

Ask finally for cold in the darkest ore.

J'ai porté ma parole en vous comme une flamme,
Ténèbres plus ardues qu'aux flammes sont les vents.
Et rien ne m'a soumise en si profonde lutte,
Nulle étoile mauvaise et nul égarement.
Ainsi ai-je vécu, mais forte d'une flamme,
Qu'ai-je d'autre connu que son recourbement
Et la nuit que je sais qui viendra quand retombent
Les vitres sans destin de son élancement.
Je ne suis que parole intentée à l'absence,
L'absence détruira tout mon ressassement.
Oui, c'est bientôt périr de n'être que parole,
Et c'est tâche fatale et vain couronnement.

I bore my words in you like a flame,
Darkness fiercer than wind on fire:
And nothing subdued me in such deep struggle,
No evil star, no stumbling from the road.
In this way I lived, strong by a flame,
What else have I known but its bending
And the night I know will come when they fall,
Those futureless windows of its first leaping.
I am nothing but words raised against absence,
Absence will destroy all my ebb and flow.
Yes, to be words only is to die out soon,
The task is doomed and its crowning vain.

Voix Basses et Phénix

UNE VOIX

Tu fus sage d'ouvrir, il vint à la nuit,
Il posa près de toi la lampe de pierre.
Il te coucha nouvelle en ta place ordinaire,
De ton regard vivant faisant étrange nuit.

UNE AUTRE VOIX

La première venue en forme d'oiseau
Frappe à ma vitre au minuit de ma veille.
J'ouvre et saisie dans sa neige tombe
Et ce logis m'échappe où je menais grand feu.

UNE VOIX

Elle gisait, le cœur découvert. A minuit,
Sous l'épais feuillage des morts,
D'une lune perdue elle devint la proie,
La maison familière où tout se rétablit.

UNE AUTRE VOIX

D'un geste il me dressa cathédrale de froid,
O Phénix! Cime affreuse des arbres crevassée
Par le gel! Je roulais comme torche jetée
Dans la nuit même où le Phénix se recompose.

LOW VOICES AND PHOENIX

You were right to open, he came by night,
He placed the stone lamp beside you.
He laid you down remade in your usual place,
Turning your living gaze into strange night.

ANOTHER VOICE

The first to arrive in the shape of a bird
Raps at my window in the midnight of my waiting.
I open and caught in its snow I fall
And the house vanishes where I lit great fires.

A VOICE

She was lying there, her heart bared. At midnight,
Under the thick foliage of the dead,
She became the prey of a wandering moon,
The familiar house where all begins again.

ANOTHER VOICE

With one motion he turned me cathedral of cold,
O Phoenix! Frightful summit of trees riven
By ice! And I fell end over end like a torch hurled
Into that very night where Phoenix re-forms.

Mais que se taise celle qui veille encor
Sur l'âtre, son visage étant chu dans les flammes,
Qui reste encore assise, étant sans corps.

Qui parle pour moi, ses lèvres étant fermées,
Qui se lève et m'appelle, étant sans chair,
Qui part laissant sa tête dessinée,

Qui rit toujours, en rire étant morte jadis.

But let her be silent, the one still keeping watch
At the hearth, her face having fallen in the flames,
Who yet remains seated, being bodiless.

Who speaks for me, her lips being shut,
Who gets up and calls me, being without flesh,
Who goes away leaving her head half-sketched,

Who laughs still, in laughter dead long since.

Tais-toi puisqu'aussi bien nous sommes de la nuit
Les plus informes souches gravitantes,
Et matière lavée et retournant aux vieilles
Idées retentissantes où le feu s'est tari,
Et face ravinée d'une aveugle présence
Avec tout feu chassée servante d'un logis,
Et parole vécue mais infiniment morte
Quand la lumière enfin s'est faite vent et nuit.

Be still for it is true we are the most
Shapeless of night's gravitating roots,
Washed matter turning again to the old
Resounding archetypes whose fire has withered,
And ravaged face of a blind presence,
Servant driven with the fire from the house,
And word that has been lived but infinitely dead
Now that the light has turned to wind and dark at last.

THE ORANGERY

L'ORANGERIE

Ainsi marcherons-nous sur les ruines d'un ciel immense,
Le site au loin s'accomplira
Comme un destin dans la vive lumière.

Le pays le plus beau longtemps cherché
S'étendra devant nous terre des salamandres.

Regarde, diras-tu, cette pierre:
Elle porte la présence de la mort.
Lampe secrète c'est elle qui brûle sous nos gestes,
Ainsi marchons-nous éclairés.

So we will walk on the ruins of a vast sky,
The far-off landscape will bloom
Like a destiny in the vivid light.

The long-sought most beautiful country
Will lie before us land of salamanders.

Look, you will say, at this stone:
Death shines from it.
Secret lamp it is this that burns under our steps,
Thus we walk lighted.

Hic est Locus Patriae

Le ciel trop bas pour toi se déchirait, les arbres
Envahissaient l'espace de ton sang.
Ainsi d'autres armées sont venues, ô Cassandre,
Et rien n'a pu survivre à leur embrassement.

Un vase décorait le seuil. Contre son marbre
Celui qui revenait sourit en s'appuyant.
Ainsi le jour baissait sur le lieudit Aux Arbres.
C'était jour de parole et ce fut nuit de vent.

HIC EST LOCUS PATRIAE

The sky too low for you had ripped, the trees
Invaded the space of your blood.
Thus other armies came, O Cassandra,
And nothing could survive their embrace.

A vase adorned the threshold. Leaning
On its marble the one who was returning smiled.
Thus the day was dimming on the place called *The Trees*.
It had been day of words and it was night of wind.

Le lieu était désert, le sol sonore et vacant,
La clé, facile dans la porte.
Sous les arbres du parc,
Qui allait vivre en telle brume chancelait.

L'orangerie,
Nécessaire repos qu'il rejoignait,
Parut, un peu de pierre dans les branches.

O terre d'un destin! Une première salle
Criait de feuille morte et d'abandon.
Sur la seconde et la plus grande, la lumière
S'étendait, nappe rouge et grise, vrai bonheur.

The place was deserted, the ground ringing and empty,
The key, easy in the door.
Under the trees in the park
He who would live in that mist went staggering.

The orangery,
Necessary resting-place where he returned,
Came into view, a bit of stone between branches.

Land of his destiny! A first room
Cried out of dead leaves and dereliction.
On the second and largest the light
Spread, cloth of red and gray, true happiness.

La Salamandre

I)

Et maintenant tu es Douve dans la dernière chambre d'été.

Une salamandre fuit sur le mur. Sa douce tête d'homme répand la mort de l'été. «Je veux m'abîmer en toi, vie étroite, crie Douve. Éclair vide, cours sur mes lèvres, pénètre-moi!

«J'aime m'aveugler, me livrer à la terre. J'aime ne plus savoir quelles dents froides me possèdent.»

THE SALAMANDER

I)

And now you are Douve in the last room of summer.

A salamander darts on the wall. Its gentle human head gives off the summer's death. "I want to be engulfed in you, narrow life," cries Douve. "Empty lightning, run on my lips, pierce me!

"I love blinding myself, surrendering myself to the earth. I love no longer knowing what cold teeth possess me."

II)

Toute une nuit je t'ai rêvée ligneuse, Douve, pour mieux t'offrir à la flamme. Et statue verte épousée par l'écorce, pour mieux jouir de ta tête éclairante.

Éprouvant sous mes doigts le débat du brasier et des lèvres: je te voyais me sourire. Or, ce grand jour en toi des braises m'aveuglait.

II)

All one night I dreamed you fibrous, Douve, the better to offer you to flame. And green statue wed by bark, the better to rejoice in your glittering head.

Feeling beneath my fingers the dispute of lips and the embers: I could see you smiling at me. And this broad day in you of the coals, blinding me.

III)

«Regarde-moi, regarde-moi, j'ai couru!»

Je suis près de toi, Douve, je t'éclaire. Il n'y a plus entre nous que cette lampe rocailleuse, ce peu d'ombre apaisé, nos mains que l'ombre attend. Salamandre surprise, tu demeures immobile.

Ayant vécu l'instant où la chair la plus proche se mue en connaissance.

III)

"Look at me, look at me, I ran!"

I am near you, Douve, I light your way. Nothing between us but this stony lamp, this stilled shadow, our hands the shadow takes. Startled salamander, you do not move.

Having lived that instant when the nearest flesh turns knowledge.

IV)

Ainsi restions-nous éveillés au sommet de la nuit de l'être. Un buisson céda.

Rupture secrète, par quel oiseau de sang circulais-tu dans nos ténèbres?

Quelle chambre rejoignais-tu, où s'aggravait l'horreur de l'aube sur les vitres?

IV)

Thus we stayed awake, high in the night of being. A thicket gave.

Secret break, by what bird of blood did you pulse through our darkness?

To which room were you returning, where the horror of dawn deepened on the panes?

Quand reparut la salamandre, le soleil
Était déjà très bas sur toute terre,
Les dalles se paraient de ce corps rayonnant.

Et déjà il avait rompu cette dernière
Attache qu'est le cœur que l'on touche dans l'ombre.

Sa blessure créa, paysage rocheux,
Une combe où mourir sous un ciel immobile.
Tourné encor à toutes vitres, son visage
S'illumina de ces vieux arbres où mourir.

When the salamander reappeared, the sun
Was already very low on every land,
The flagstones took on beauty from this radiant body.

And already he had cut that last
Bond which is the heart reached in darkness.

Thus, rocky landscape, his wound opened
A ravine to die in, under a motionless sky.
Still turned toward the windows, his face
Lighted with those old trees where he could die.

Cassandre, dira-t-il, mains désertes et peintes,
Regard puisé plus bas que tout regard épris,
Accueille dans tes mains, sauve dans leur étreinte
Ma tête déjà morte où le temps se détruit.

L'Idée me vient que je suis pur et je demeure
Dans la haute maison dont je m'étais enfui.
Oh pour que tout soit simple aux rives où je meure
Resserre entre mes doigts le seul livre et le prix.

Lisse-moi, farde-moi. Colore mon absence.
Désœuvre ce regard qui méconnaît la nuit.
Couche sur moi les plis d'un durable silence,
Éteins avec la lampe une terre d'oubli.

Cassandra, he will say, hands empty and painted,
Gaze drawn up from lower than any gaze of love,
Take in your hands, save in their embrace
This head now dead where time is ruins.

The Idea grows in me that I am pure and live
In the high house from which I had fled.
Oh that all be simple on the shores where I die
Press into my fingers the book, the obolus.

Smooth me, anoint me. Dye my absence.
Shut down these eyes not acknowledging night.
Bed me in folds of a lasting silence,
Put out with the lamp a land of oblivion.

Mais toi, mais le désert! étends plus bas
Tes nappes ténébreuses.
Insinue dans ce cœur pour qu'il ne cesse pas
Ton silence comme une cause fabuleuse.

Viens. Ici s'interrompt une pensée,
Ici n'a plus de route un beau pays.
Avance sur le bord de cette aube glacée
Que te donne en partage un soleil ennemi.

Et chante. C'est pleurer deux fois ce que tu pleures
Si tu oses chanter par grand refus.
Souris, et chante. Il a besoin que tu demeures,
Sombre lumière, sur les eaux de ce qu'il fut.

But you, but the desert! Spread lower
Your gloomy folds of sand.
Wind into this heart so that it will not stop
Your silence like a legendary cause.

Come. Here a thought breaks off,
Here a beautiful country runs out of roads.
Move out on the rim of that frozen dawn
Which yields as your due a hostile sun.

And sing. You mourn twice over what you mourn
If you dare to sing, denying night.
Smile, and sing. He needs your presence,
Dark light, on the waters of what he was.

Je prendrai dans mes mains ta face morte. Je la coucherai dans son froid. Je ferai de mes mains sur ton corps immobile la toilette inutile des morts.

I will take your dead face into my hands. I will lay it out in its coldness. With my hands I will make on your motionless body the useless dressing of the dead.

L'orangerie sera ta résidence.
Sur la table dressée dans une autre lumière
Tu coucheras ton cœur.
Ta face prendra feu, chassant à travers branches.

Douve sera ton nom au loin parmi les pierres,
Douve profonde et noire,
Eau basse irréductible où l'effort se perdra.

The orangery shall be your dwelling-place.
On the table set up in another light
You shall lay down your heart.
Your face shall take fire, riding through branches.

Douve shall be your name far off among the stones,
Douve deep and black,
Irreducible low water where effort shall spend itself.

Vérité

Ainsi jusqu'à la mort, visages réunis,
Gestes gauches du cœur sur le corps retrouvé,
Et sur lequel tu meurs, absolue vérité,
Ce corps abandonné à tes mains affaiblies.

L'odeur du sang sera ce bien que tu cherchais,
Bien frugal rayonnant sur une orangerie.
Le soleil tournera, de sa vive agonie
Illuminant le lieu où tout fut dévoilé.

Thus until death, faces reunited,
The heart's clumsy gestures on the repossessed body,
Upon which you fade, absolute truth,
This body given over into your weakening hands.

The smell of blood shall be the good you sought,
Frugal good shining on an orangery.
The sun will turn, in its bright agony
Lighting the place where all was revealed.

Tu as pris une lampe et tu ouvres la porte,
Que faire d'une lampe, il pleut, le jour se lève.

You took up a lamp and now you open the door,
What use is a lamp, it is raining, the day breaks.

TRUE PLACE
VRAI LIEU

Qu'une place soit faite à celui qui approche,
Personnage ayant froid et privé de maison.

Personnage tenté par le bruit d'une lampe,
Par le seuil éclairé d'une seule maison.

Et s'il reste recru d'angoisse et de fatigue,
Qu'on redise pour lui les mots de guérison

Que faut-il à ce cœur qui n'était que silence,
Sinon des mots qui soient le signe et l'oraison,

Et comme un peu de feu soudain la nuit,
Et la table entrevue d'une pauvre maison?

Let a place be made for the one who approaches,
He who is cold and has no home.

He who is tempted by the sound of a lamp,
By the bright threshold of only this house.

And if he stays overcome with anguish and fatigue,
Let be uttered for him the healing words.

What needs this heart which was only silence,
But words which are both sign and litany,

And like a sudden bit of fire at night,
Or the table, glimpsed in a poor man's house?

Chapelle Brancacci

Veilleuse de la nuit de janvier sur les dalles,
Comme nous avions dit que tout ne mourrait pas!
J'entendais plus avant dans une ombre semblable
Un pas de chaque soir qui descend vers la mer.

Ce que je tiens serré n'est peut-être qu'une ombre,
Mais sache y distinguer un visage éternel.
Ainsi avions-nous pris vers des fresques obscures
Le vain chemin des rues impures de l'hiver.

BRANCACCI CHAPEL

Candle of the January night on the flagstones,
When we had said not everything would die!
I could hear further off among like shadows
A step which each evening goes down to the sea.

What I cling to is perhaps but a shadow,
But see how it turns you an eternal face!
So had we taken toward darkened frescoes
The futile path of winter's muddy streets.

I)

Voici défait le chevalier de deuil.
Comme il gardait une source, voici
Que je m'éveille et c'est par la grâce des arbres
Et dans le bruit des eaux, songe qui se poursuit.

Il se tait. Son visage est celui que je cherche
Sur toutes sources ou falaises, frère mort.
Visage d'une nuit vaincue, et qui se penche
Sur l'aube de l'épaule déchirée.

Il se tait. Que peut dire au terme du combat
Celui qui fut vaincu par probante parole?
Il tourne vers le sol sa face démunie,
Mourir est son seul cri, de vrai apaisement.

PLACE OF BATTLE

I)

Here the knight of mourning is defeated.
As he was guarding a spring, now
I awaken, by the grace of trees
Amid the noise of waters, dream renewing itself.

He says nothing. His is the face I look for
At every spring and cliffside, dead brother.
Face of a vanquished night bending
Over the daybreak of the torn shoulder.

He says nothing. What could he say now the battle is over,
He who was beaten by a word of truth?
He turns his helpless face to the ground,
To die is his one cry, of true repose.

II)

Mais pleure-t-il sur une source plus
Profonde et fleurit-il, dahlia des morts
Sur le parvis des eaux terreuses de novembre
Qui poussent jusqu'à nous le bruit du monde mort?

Il me semble, penché sur l'aube difficile
De ce jour qui m'est dû et que j'ai reconquis,
Que j'entends sangloter l'éternelle présence
De mon démon secret jamais enseveli.

O tu reparaîtras, rivage de ma force!
Mais que ce soit malgré ce jour qui me conduit.
Ombres, vous n'êtes plus. Si l'ombre doit renaître
Ce sera dans la nuit et par la nuit.

II)

But does he weep over a deeper
Spring and does he flower, dahlia of the dead,
At the gates of November's muddy waters
Which bear to us the sound of the dead world?

It seems, as I bend to the arduous dawn
Of this day which is owed me and I won back,
That I hear sobbing the eternal presence
Of my secret demon who was never buried.

You shall surge up, shore of my strength!
But may it be despite this daylight leading me.
Shadows, you are no more. If the dark must be reborn
It will be in the night and by the night.

Lieu de la Salamandre

La salamandre surprise s'immobilise
Et feint la mort.
Tel est le premier pas de la conscience dans les pierres,
Le mythe le plus pur,
Un grand feu traversé, qui est esprit.

La salamandre était à mi-hauteur
Du mur, dans la clarté de nos fenêtres.
Son regard n'était qu'une pierre,
Mais je voyais son cœur battre éternel.

O ma complice et ma pensée, allégorie
De tout ce qui est pur,
Que j'aime qui resserre ainsi dans son silence
La seule force de joie.

Que j'aime qui s'accorde aux astres par l'inerte
Masse de tout son corps,
Que j'aime qui attend l'heure de sa victoire,
Et qui retient son souffle et tient au sol.

PLACE OF THE
SALAMANDER

The startled salamander freezes
And feigns death.
This is the first step of consciousness among the stones,
The purest myth,
A great fire passed through, which is spirit.

The salamander was halfway up
The wall, in the light from our windows.
Its gaze was merely a stone,
But I saw its heart beat eternal.

O my accomplice and my thought, allegory
Of all that is pure,
How I love that which clasps to its silence thus
The single force of joy.

How I love that which gives itself to the stars by the inert
Mass of its whole body,
How I love that which awaits the hour of its victory
And holds its breath and clings to the ground.

Vrai Lieu
du Cerf

Un dernier cerf se perdant
Parmi les arbres,
Le sable retentira
Du pas d'obscurs arrivants.

Dans la maison traversée
Du bruit des voix,
L'alcool du jour déclinant
Se répandra sur les dalles.

Le cerf qu'on a cru retrait
Soudain s'évade.
Je pressens que ce jour a fait
Votre poursuite inutile.

TRUE PLACE
OF THE STAG

A last stag vanishing
Among the trees,
The sand will reverberate
With the tread of dark visitants.

In the house crossed
By the sound of voices,
The alcohol of the declining day
Will spill out on the stones.

The stag we thought surrounded
Suddenly breaks free.
I begin to see that this day has made
Your pursuit vain.

Le jour franchit le soir, il gagnera
Sur la nuit quotidienne.
O notre force et notre gloire, pourrez-vous
Trouer la muraille des morts?

Day breaks over evening, it shall sweep beyond
The daily night.
O our strength and our glory, will you be able
To pierce the rampart of the dead?